TUT TUT

TUT TUT

JON SCIESZKA

Ilustraciones de Lane Smith

Traducción de María Mercedes Correa

G R U P O
EDITORIAL
norma

Barcelona, Bogotá, Buenos Aires, Caracas,
Guatemala, Lima, México, Miami, Panamá, Quito,
San José, San Juan, San Salvador, Santiago de Chile.

Un agradecimiento especial para
Catharine Roehrig, curadora asociada
de la sección de arte egipcio del
Metropolitan Museum of Art.

Título original en inglés:
Tut, Tut de Jon Scieszka, ilustrado por Lane Smith
Publicado en español según acuerdo con Viking Children's Books,
una división de Penguin Putnam, Inc, Nueva York.

Copyright del texto ©1996 Jon Scieszka
Copyright de las ilustraciones © 1996 Lane Smith
Copyright de la edición en español © 1999 Editorial Norma S.A.,
para México, Guatemala, Puerto Rico, Costa Rica, Nicaragua,
El Salvador, Honduras, Panamá, Colombia, Venezuela, Ecuador,
Perú, Bolivia, Paraguay, Uruguay, Argentina y Chile.
A.A. 53550, Bogotá, Colombia

Prohibida la reproducción parcial o total
sin permiso escrito de la Editorial.

Primera reimpresión, 2000
Segunda reimpresión, 2000
Impreso por Cargraphics S.A. — Impresión Digital
Impreso en Colombia — Printed in Colombia
Julio del 2000

Dirección Editorial, María Candelaria Posada
Diagramación y armada, Ana Inés Rojas

ISBN: 958-04-5046-3

CONTENIDO

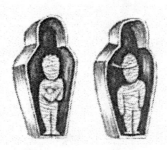

Para los egiptólogos de quinto de primaria del colegio Berkeley Carroll

UNO

Abrí la puerta de mi habitación y vi una escena terrible. Una mujer gigantesca sentada en la tumba del rey Tutankamon; Tut, para los amigos. Detrás de ella había una gata aún más grande.

—¡Ana!—grité—. ¿Qué estás haciendo?

Sergio y Pacho me empujaron y entraron también en mi habitación.

—Está dañándonos los proyectos de historia sobre el antiguo Egipto —dijo

Pacho. Luego quitó uno de los muñecos que había puesto Ana—. La profe me mataría si encuentra un muñeco de Supermán en mi trabajo sobre "La momificación".

Sergio quitó otro muñeco.

—Seguro le encantaría encontrar al Hombre Araña en mi papiro del "Libro de los muertos" y a la Barbie en "La tumba del rey Tutankamon" de Beto.

—Esa no es Barbie. Es la diosa Isis —dijo Ana.

—Yo no sabía que Isis se ponía zapatos de tacón alto —dije yo—. Además, quita a esa gata ridícula de la tumba. Está lamiendo la cámara fúnebre.

Ana sacó a la gata y a la muñeca y se las puso ambas sobre las piernas.

—Cleo no es ninguna gata ridícula y tampoco estaba lamiendo tu ridícula cámara fúnebre. Estaba ayudando a Isis a evitar que los ladrones se entraran a la tumba de la faraona.

—Eres una pesada —dije—, y además se nota que no tienes ni idea sobre el antiguo Egipto. Sólo los reyes podían ser faraones. Nunca hubo mujeres faraonas.

Le limpié a mi maqueta de la tumba del rey Tut las babas de gato.

—Claro que sí —dijo Ana.

—Claro que no —dije yo, haciendo una burlona imitación de la voz de Ana.

—¿Ah, no? ¿Y entonces quién es esta? —dijo. Abrió uno de los libros que yo tenía en el escritorio y nos mostró una ilustración.

Sergio se subió los anteojos y se inclinó para ver más de cerca.

—Ah, esa es la diosa Isis. Se sabe porque tiene en la cabeza esa cosa que parece una silla, y en el jeroglífico que hay al lado está la misma figura en forma de trono. Es como su firma especial.

—A los faraones los pintaban, por lo general, con la corona blanca del Alto Egipto o la corona del Bajo Egipto —dijo Pacho, haciendo voz de profesor. Luego, se subió un poco la visera de la gorra—. Sólo los faraones más admirados usaban coronas de algodón y poliéster, como esta gorra de los Azulejos de Toronto.

—Pero yo vi un dibujo de una mujer con las dos coronas de los faraones —dijo Ana.

—Te apuesto la mesada de una semana a que no —le dije.

—Te apuesto a que sí —dijo Ana. Puso a Cleo en el suelo y empezó a buscar entre la pila de libros sobre el antiguo Egipto.

—Además, te toca limpiar la caja de arena de la gata en la semana que me corresponde a mí —añadí.

Sergio pintó unos cuantos dientes

más en la figura del Devorador, en la escena del "pesaje del corazón" en su papiro y luego dio unos cuantos pasos hacia atrás para admirar los tres proyectos.

—Felicitaciones, trío —dijo Sergio—. Tenemos tres excelentes proyectos sobre el antiguo Egipto, terminados un día antes de la entrega, y nadie habló sobre usar cierto *Libro* para hacer la investigación.

Pacho le dio vuelta a su gorra de los Azulejos y dijo:

—A lo mejor nos estamos volviendo inteligentes.

—Bueno, yo no diría tanto —dijo Sergio.

—Yo todavía estoy mareado con nuestra última aventura —dije—. Además, prometí que no volvería a usar *El Libro* sino hasta cuando descubriera todos los trucos y reglas.

—Ajá —gritó Ana—. ¡Aquí está!

Cleo se subió al escritorio y se acarició la mejilla con el libro que había sacado Ana.

—La encontré. Es una ilustración de una mujer con las dos coronas.

El libro que estaba abriendo Ana era azul, con unos diseños plateados serpenteantes.

Una nube verde se empezó a formar detrás de los escalones hechos con cubos de azúcar de la tumba del rey Tut.

—¡Nooo! —gritamos Pacho, Sergio y yo al unísono. Pacho y yo nos lanzamos hacia *El Libro*. Sergio corrió hacia la puerta. Los tres nos estrellamos, caímos como un saco de papas en el piso y quedamos unos encima de otros.

—Sí. Esta es —dijo Ana. Le rascó la cabeza a Cleo y miró detenidamente la ilustración de *El Libro*—. Aquí está la corona blanca...

—No quiero convertirme en momia —gimió Sergio, mientras la nube verde se iba haciendo más espesa.

—...y aquí está la corona roja.

Una densa nube verde cubrió *El Libro*, a mi hermana y a la gata.

—Abróchense los cinturones —dijo Pacho.

Luego, la nube nos cubrió a los tres y empezamos el viaje.

DOS

Antes de que las cosas se nos salgan de las manos (y ya sabemos que se nos van a salir de las manos cuando lleguemos a nuestro destino), quiero tomarme un minuto para explicarte unas cuantas cosas.

En primer lugar, yo no tenía idea sobre el enredo en que me estaba metiendo cuando mi tío Beto me regaló *El Libro*, el día de mi cumpleaños. Resultó ser que este no era un libro cualquiera. No era nada más ni nada menos que una máquina del tiempo. Cada vez que lo abrimos nos lleva a un momento histórico diferente. Esto podría parecer muy divertido, pero hay un problemita. La única manera de regresar a nuestra época es encontrar *El Libro* en la otra época. Lo malo es que siempre que viajamos en el tiempo *El Libro* tiene la mala maña de desaparecer.

Ya nos hemos metido en líos tratando de encontrar *El Libro* en la corte del Rey Arturo, en el barco del pirata Barbanegra, en una caverna en la edad de piedra y en lugares de los que es mejor ni hablar.

Cualquiera podría pensar que a estas alturas ya deberíamos saber cómo usar *El Libro* sin que se nos pierda. Bueno, pues no. Y si tienes alguna idea brillante sobre lo que deberíamos hacer, mejor quédate con ella.

Perdona si sueno un poco grosero, pero este asunto de la desaparición de *El Libro* me da rabia. Les juré a Pacho y a Sergio que averiguaría bien cómo usar *El Libro* antes de volver a hacer un viaje en el tiempo. Pero mi adorada hermanita tuvo que volver a meternos en este lío. Creo que voy a tener que preguntarle directamente a mamá sobre *El Libro*. Ella se lo dio al tío Beto y sospecho que sabe más de lo que parece.

Si ya has leído alguna de las aventuras del trío de viajeros en el tiempo, ya sabrás qué va a ocurrir. Vamos a caer de narices en algún problema. Sólo que esta vez tengo la preocupación adicional de tener que seguirles la pista a mi hermanita y a la gata. Qué petardo.

Deséame suerte y voltea la página. Te apuesto la mesada de la semana y el turno de limpiar la caja de arena de la gata a que llegaremos a la tumba del rey Tut... o a algún lugar peor.

TRES

Con toda la cantidad de veces que hemos viajado en el tiempo, todavía no me acostumbro. Es como soñar que uno va a caer, que está flotando en el océano, que da vueltas en una de esas horribles tazas de té de los parques de diversiones. Primero, uno se vuelve grande. Luego se vuelve chico. Luego se dobla. Y luego vuelve a ser otra vez el mismo.

Cuando el viaje-licuadora en el tiempo acabó, Pacho, Sergio y yo aparecimos todos unos encima de otros, igual que como estábamos en mi habitación, sólo que el suelo era de piedra y había una luz extraña..

Pacho se ajustó la gorra de los Azulejos y se puso de pie.

—Miren esto. Estatuas, pinturas, jeroglíficos. Debemos estar en la tumba del rey Tut.

—La gran sorpresa —dijo Sergio, todavía sentado en el suelo—. Déjenme adivinar... *El Libro* no parece por ninguna parte.

Miré a mi alrededor, por todo el pequeño recinto de piedra. En un rincón, cerca de Pacho, había amontonadas unas estatuas y otras cosas. No estaban ni *El Libro*, ni Ana, ni Cleo.

—Tranquilos —dije—. Esta vez vamos a hacer un plan. *El Libro* por lo general no suele estar muy lejos. Entonces, encontramos a Ana, encontramos *El Libro* y volvemos a nuestra época antes de que nos metamos en algún lío.

—Buen plan, gran líder —dijo Sergio—. Pero yo de aquí no me muevo,

porque quiero conservar mis dos manos.

Pacho se puso una corona de oro en forma de cobra encima de la gorra.

—¡Somos ricos! Por fin podemos sacarle provecho a ese mugroso *Libro*. Un tesoro de verdad.

—Oye, ¿cómo así que quieres conservar tus dos manos? —le pregunté a Sergio.

—Ustedes, jóvenes egiptólogos —dijo Sergio con voz de conferencista—, parecen haber olvidado que las autoridades castigaban a los profanadores de tumbas cortándoles ambas manos. Así es que yo me quedo aquí. Nadie va a decirme "profanador de tumbas".

Pacho regresó hacia donde estaban las estatuas.

—¿Qué te pasa, gallina? No van a echar de menos unas cuantas piecitas de oro.

Miré a Sergio sentado encima de sus manos y a Pacho escarbando en el tesoro de una persona muerta.

—Ustedes dos están locos —dije—. Pacho, aléjate de ahí. Sergio, ponte de pie. Vamos a buscar *El Libro*, a mi hermana y a la gata y nos vamos de aquí antes de que...

En un corredor externo se escuchó el eco de un ruido. Una voz enfurecida gritó.

—Mis manos —dijo Sergio, lloriqueando, y se las metió debajo de las axilas.

—Epa —dijo Pacho, tratando de quitarse la cobra de la gorra.

El sonido de la voz se hacía más fuerte.

—Vienen para acá —susurré—. Escondámonos.

Los tres empezamos a dar vueltas buscando algo, cualquier cosa, para poder escondernos. Vimos las estatuas en el rincón y tuvimos la misma idea. Saltamos detrás de las estatuas y nos quedamos quietos. En ese preciso instante, una luz de antorcha llenó toda la habitación.

Un hombre rechoncho y calvo, con una bata blanca y sandalias, tenía la antorcha en una mano y en la otra un palo delgado como un látigo que levantaba en el aire y le servía para amenazar a dos tipos más altos que iban arrastrando un baúl enorme.

—Idiotas. No puedo creer que les haya ofrecido un puesto en la vida eterna. Su madre debió ser un hipopótamo ciego y su padre, un burro de tres patas. Si llego a encontrar algo roto les...

En ese momento, el tipejo regordete empezó a agitar el látigo como si estuviera luchando contra un ejército entero.

—Sí, su excelencia —dijo el de la falda blanca.

—Gracias, su señoría —dijo el otro.

—Lleven el resto a la otra sala. Y si llegan a partir algún amuleto, por pequeño que sea, me encargaré de que los dioses los pongan a remar en una barcaza en los lagos llameantes de

Duat para toda la eternidad. ¡Ahora, váyanse!

Los dos tipos salieron rápidamente y dejaron a su jefe con el tesoro. No sabía quién era este, pero su mirada extraña me hacía pensar que no se traía nada bueno entre manos. Luego empezó a hablar solo como los malos de las películas y ahí supe que, en efecto, no se traía nada bueno entre manos.

—Mi plan funciona a la perfección. Cuando se termine la construcción del templo del faraón, se terminará también *mi* templo. Las salas secretas y los tesoros me darán más poder que a cualquier faraón en la vida eterna. Todos recordarán y admirarán mi nombre: el gran príncipe Elmocobi.

Pacho me miró. Si él estaba pensando lo mismo que yo, habríamos podido jurar que el nombre del tipo era "el moco vi". Ya me había convencido de que no podía ser cuando comenzó de nuevo.

—Gran Elmocobi. Poderoso y magnífico Elmocobi. Maravilla de maravillas, Elmocobi.

El tipejo calvo se paseaba por toda la habitación, repitiendo toda clase de combinaciones con su nombre. Pacho, Sergio y yo nos mordíamos la lengua tratando de no soltar la carcajada.

El hombre caminó hacia la entrada y se dio vuelta por última vez para mirar su tesoro, ya casi se iba. Habríamos quedado a salvo. Pero luego dijo:

—El gran, glorioso, supremo, maravilloso, Elmocobi.

Eso bastó. Pacho soltó la carcajada.

Elmocobi se pegó un susto que casi saltó hasta el techo.

Sergio y yo no pudimos aguantar más. Nos tiramos al suelo, muertos de la risa. Paramos de reírnos un poco, para recuperar el aire, y Elmocobi acercó su antorcha hacia nosotros.

—¡Ladrones! ¿Cómo se atreven a deshonrar el templo de Elmocobi?

¿Algunas vez te ha pasado que estás en un lugar donde supuestamente no te puedes reír pero no puedes evitarlo?

Exactamente eso fue lo que nos ocurrió.

—¿El moco vi? —dije—. Ja, ja, ja.

—Yo también lo vi —dijo Pacho—. Ja, ja, ja.

—Ganó por una nariz —dijo Sergio—. Ja, ja, ja.

Nos reíamos tanto que casi no podíamos ni respirar.

Elmocobi no parecía muy divertido.
De hecho, por la cara parecía que qui-
siera matarnos.

CUATRO

Cuando por fin dejamos de reírnos comprendimos que estábamos en serios aprietos. Elmocobi nos puso contra la pared y empezó a mover el látigo.

—Profanadores. Sabandijas. Excremento de cocodrilo. ¿De dónde vienen esos extraños ropajes y sandalias? ¡Respondan!

Sergio fue el primero en recuperarse y empezar a hablar.

—¿Ladrones? No, señor. No somos

ladrones. Venimos de... otras tierras. Pero no somos ladrones.

Sergio se metió las manos en lo más profundo de los bolsillos.

—Nosotros no. No, señor.

Elmocobi hizo restallar el látigo en el aire.

—¿Entonces cómo entraron a esta sala secreta?

—¿Nos podrá creer que fue con magia? —dijo Pacho.

Elmocobi dio un paso hacia atrás, con una leve cara de miedo.

—¿Magia? ¿Ustedes son seguidores de Isis? ¿Tienen poderes en la vida del más allá?

—Sí, más o menos —dijo Pacho. Luego me empujó hacia adelante—. Beto, aquí presente, es el mago más poderoso de nuestra tierra.

—Gracias, Pacho —dije, y le clavé el codo en el brazo, tan fuerte como pude.

Elmocobi se tocó la barbilla con el extremo del látigo.

—¿Magos? Hmmm. Bueno, entonces

hagan aparecer joyas, colmillos de elefantes, un mono vivo.

No podía creer que estuviera pasando por esto otra vez. Ni siquiera soy uno de esos magos que llevan cartas para todas partes. ¡Qué trabajito el que tenía por delante! Pensé y pensé para recordar un buen truco.

—¿Joyas y monos? Qué tontería. Puedo hacer maravillas que usted ni siquiera ha imaginado —dije, tratando de quemar tiempo—. Pero primero necesito unas cuantas cosas. ¿Tiene un libro azul, como de este tamaño, con unos diseños plateados por delante y por detrás? Es un libro que habla de cómo funcionan las cosas en nuestra tierra.

—¿Instrucciones para la vida eterna? —preguntó Elmocobi. Luego sacó del baúl un pequeño paquete envuelto en una tela y me lo pasó.

No podía creer que hubiéramos encontrado *El Libro* tan fácilmente. Por fin nos estaba cambiando la suerte.

—Perfecto —dije—. Ahora, apártese.

Empecé a desenvolver la tela y saqué... un papiro de dibujo y jeroglíficos. Definitivamente nos estaba cambiando la suerte. Para mal.

Sergio gruñó.

—Sí, muy bien. En realidad es un libro sobre la vida eterna. Es el Libro de los Muertos. Y exactamente así vamos a quedar si no le muestras a este simpático un poco de magia.

—Muchas gracias por tu ayuda, mago Sergio —dije. Luego vi un pedazo de papiro, más o menos del tamaño de un billete, y recordé un truco clásico.

—Permítanme demostrarles que un mago es más rápido que cualquier hombre —le dije a Elmocobi. Tomé el pedazo de papiro en la mano izquierda y, con la mano derecha, puse el índice y el pulgar abiertos alrededor del papiro.

—Suelto el papiro y lo agarro con el índice y el pulgar de la otra mano. Lo suelto, lo agarro. Fácil, ¿cierto?

Elmocobi asintió.

—Ahora veamos si usted es tan rápido como un mago. Lo suelto y usted lo agarra.

Elmocobi estiró el índice y el pulgar de su mano derecha. Puse el papiro en medio de los dos dedos y le pregunté:

—¿Listo?

—Por supuesto.

Solté el papiro y él no logró atraparlo.

—No estaba listo.

Lo volví a soltar y él volvió a fallar.

—No hay mucha luz.

Volvió a fallar.

—Tenía un mugre en el ojo.

Ni siquiera estuvo cerca.

—¡Ya basta! —dijo Elmocobi, y lanzó un latigazo al aire. Todavía estaba furioso, pero era obvio que nos miraba de manera diferente. Decidí que lo mejor era entretenerlo, mientras todavía creyera en nosotros.

—Otro reto sencillo —dije. Puse el pedazo de papiro en el suelo, como a medio metro de distancia de la pared—. Ahora ponga los talones contra la pared. Inclínese y recoja el papiro, sin mover los pies.

Elmocobi frunció el ceño.

—Eso es muy fácil para un gran sacerdote —dijo—. Sólo tenme la antorcha.

Elmocobi puso los talones contra la pared, se inclinó hacia adelante y se fue de narices.

—No. Todavía no estaba listo.

Elmocobi lo intentó de nuevo, esta vez inclinándose más despacio. Sergio y Pacho me hicieron señas con los pulgares para decirme que lo estaba haciendo bien. Elmocobi se tambaleó.

—¿Sí ve? En realidad somos magos y no ladrones —dijo Sergio.

—Sí —dijo Pacho. Pensamos que esta era la tumba del rey Tutankamon. Ni siquiera sabíamos que era su sala secreta en el templo del faraón.

Elmocobi entrecerró los ojos, que le quedaron como dos rayas. Mala cosa.

—Sí. Ustedes saben que esta es mi sala secreta, ¿no es verdad?

—Ah, pero no se preocupe —dijo Sergio—. No le vamos a contar a nadie. De verdad.

—De verdad —dijo Elmocobi—. No, tal vez no lo harán.

Se frotó la calva y nos miró de una manera extraña. Luego añadió:

—Sí, claro. ¿Cómo no se me había ocurrido? El faraón se enojaría mucho conmigo si no les diera la bienvenida a unos magos tan maravillosos con unos regalos apropiados. Vengan conmigo.

Elmocobi nos guió. Salimos de la habitación y empezamos a caminar por un laberinto de corredores, hacia la izquierda y hacia la derecha, hacia arriba y hacia abajo. Las paredes estaban adornadas con coloridos altorrelieves de dioses y diosas. Allí vi a mi favorito, Tot, el dios de la escritura, con cabeza de ibis.

Nos introdujimos por una abertura en la pared de piedra y salimos por detrás de una cortina hacia una sala enorme, con estatuas, jarrones, coronas y millones de piezas de oro y joyas. Elmocobi se había convertido repentinamente en amigo nuestro.

—Tomen lo que deseen —dijo—. El tesoro del faraón es de ustedes.

Pacho recogió un ataúd en miniatura.

Elmocobi ayudó a Sergio con un collar en forma de halcón, más grande que él.

Yo no podía decidirme entre una estatuilla de oro de Osiris y una daga fabulosa.

—Hiciste un buen trabajo con los trucos —me susurró Pacho al oído—. Lograste engañarlo.

—Basta con saber un poco sobre los reflejos y el centro de gravedad de los seres humanos —dije modestamente—. Nadie puede hacer esas cosas, pero él no lo sabe.

Luego me medí unos cuantos anillos con forma de escarabajo.

Sergio se puso un báculo adornado con joyas encima del pecho.

—El rey Sergio —dijo.

—¿Pero cómo es que él habla español? —dijo Pacho—. ¿O es que nosotros entendemos el egipcio?

—Siempre hay como una especie de traducción instantánea en todos los libros de viajes en el tiempo que he leído —dijo Sergio—. Si no fuera así, ninguno de los personajes entendería lo que dice el otro.

—Ah, ya —dijo Pacho.

Me decidí por la daga y un collar.

—Tengo que investigar sobre eso en *El Libro* cuando lo encontremos.

—Mira, ¿sabes qué? —replicó Pacho—. Mejor no investigues nada.

Estábamos tan ocupados hablando y comparando los tesoros que ninguno de nosotros se dio cuenta de que Elmocobi estaba saliendo por una puerta. Por el rabillo del ojo vi que, de repente, empezaba a empujar una estatua gigantesca. Pensé que se había vuelto loco. Al caer en el suelo, la nariz de la estatua se partió con un crujido. Quedamos paralizados al escuchar

gritos y luego pasos que se alejaban corriendo. Vimos la sonrisa diabólica de Elmocobi. En ese momento lo comprendí todo, pero ya era demasiado tarde.

Elmocobi empezó a gritar por la puerta:

—¡Ladrones! ¡Profanadores! ¡Auxilio! ¡Rompieron la mismísima imagen del faraón! ¡Auxilio! ¡Socorro!

En cuestión de minutos llegaron y nos vieron con las manos en la masa. Unos fuertes trabajadores egipcios nos sacaron a rastras hacia la enceguecedora luz del día y nos amarraron con los brazos estirados a un bloque de piedra.

—Son ladrones —dijo Elmocobi—. Mátenlos.

—Un momento —dijo Sergio—. ¿No podemos discutirlo? No nos apresuremos tanto.

Elmocobi se detuvo.

—Tienes razón —dijo. Luego se volteó hacia el guardián que tenía una es-

pada larga encima de nuestras cabezas—. No nos apresuremos tanto. Primero, córtenles las manos. Luego sigan
con la cabeza.

CINCO

En los libros dicen que cuando alguien está a punto de morir, la vida le pasa por la mente como en una película. A mí lo único que se me pasó por la mente fue pensar que mi mamá se iba a poner histérica conmigo por haber perdido a mi hermana en el antiguo Egipto.

Elmocobi se rio de su chiste malo. El guardián levantó la espada. Estábamos a punto de convertirnos en el trío sin manos de viajeros en el tiempo cuando do alguien gritó.

—¡Elmocobi! Que no se mueva esa espada. ¿Qué clase de ritual horrible vas a practicar en la entrada del templo del faraón?

—Son ladrones, su alteza. Los sorprendimos robando tesoros y destruyendo estatuas.

—Tráelos ante mí.

Los guardianes nos desamarraron y nos arrastraron hacia un chico con una túnica blanca.

—Inclínense ante el rey —dijo el grandote que tenía la espada en la mano. Se veía molesto por haberse perdido la oportunidad de cortar unas cuantas manos y cabezas.

Sergio se acomodó las gafas.

—¿Cuál rey? No veo ningún rey.

El guardián golpeó a Sergio con la parte plana de la espada.

—Lo tienes frente a ti, gusano. Ahora, inclínate.

—Oye, deja esa espada quieta, grandullón —dijo Pacho, y se puso en posición de boxeo—. Si quieres pelea, métete conmigo.

Yo estaba decidido a conservar mis manos y mi cabeza, así es que salté en medio de ellos.

—El trío de viajeros en el tiempo, a sus órdenes, alteza —dije, y me incliné ante el chico de la túnica. Debía tener más o menos nuestra edad. Tenía el pelo corto y negro, y una expresión amigable en el rostro.

—Somos tres magos que nos perdimos en el camino de regreso hacia nuestro mundo debido a... heem... dificultades técnicas. Nuestra intención no era robar ningún tesoro. Sencillamente estamos buscando un libro pequeño, una niña y una gata.

El rey niño nos miró y sonrió.

—¿De verdad que son magos? —dijo, y miró los zapatos de tenis de Pacho—. Y esas deben ser sandalias mágicas.

En ese momento se me encendió el foco. ¿Rey niño?

—Excúseme, su alteza. ¿Es usted el Rey Tutankamon?

—No. Tutmosis III, para ser exactos. Algún día seré el rey más grande del mundo. ¿Puedo ponérmelas? ¿Qué hacen?

Bueno, no era el rey Tutankamon, pero estaba fascinado con los zapatos de tenis de Pacho.

Pacho intercambió sus zapatos con las sandalias del rey.

—Esos zapatos le darán el poder para hacer quites y saltar hacia el aro. Así. Permítame mostrarle.

Pacho hizo un aro con un pedazo de caña y lo clavó en una grieta de la pared. Luego me hizo un pase con una granadilla que llevaba uno de los trabajadores para el almuerzo. Yo di un brinco e hice una cesta.

—¡Bien! —dijo Sergio, imitando a los aficionados al basquetbol.

En menos que canta un gallo todos estábamos corriendo por las gradas del templo, haciendo fintas, pivotes, do-

blesaltos. Tutmo-
sis era un basquet-
bolista nato.

—El faraón va
por el rincón dere-
cho —empezó a
narrar Sergio, con
un megáfono im-
provisado de pa-
piro—. Faltan tres
segundos para que finalice el partido.
Hace una finta a la izquierda, luego a
la derecha, y ¡la pelota pasa por el aro
cuando... suena el reloj!

Tutmosis y Pacho chocaron palmas
y luego nos sentamos. En ese momento nos fijamos en Elmocobi, que tenía
una cara de disgusto total.

—Su alteza, estos son unos ladrones.
Las leyes dicen que debemos tratarlos
con severidad.

—Bueno, tómatelo con calma —dijo
Tutmosis—. No son ladrones. Son mis
amigos.

Pacho, Sergio y yo sonreímos.

—Sí, cálmate, mocoso —dijo Sergio—. Somos amigos del rey.

Elmocobi volvió a entrecerrar los ojos de esa manera suya tan peculiar.

—Sin embargo, para cumplir la ley —dijo Tutmosis—, los llevaremos al palacio. La faraona decidirá qué hacer. Al fin y al cabo, los encontraron en el templo de ella.

Yo estaba confundido.

—Pero yo pensé que *usted* era el faraón. ¿Este no es su templo?

—Yo soy faraón, pero también mi tía Hatsepsut —dijo Tutmosis. Luego señaló hacia la enorme extensión de gradas y columnas que iba a perderse entre las rocas. Hasta ese momento no nos habíamos dado cuenta de la cantidad de trabajadores que había allí. Algunos estaban dándole los últimos toques de cincel a una avenida de esfinges que conducía al templo. Otros estaban levantando una columna gigantesca mediante la ayuda de cuerdas y troncos.

Tutmosis explicó:

—Este será el templo de Hatsepsut.

—Voy a tener que pagar una semana de mesada y limpiarle la caja de arena a la gata —dije.

—Pero yo soy el hijo de Tutmosis II y reinaré cuando crezca —dijo Tutmosis y miró a su alrededor. Todo el mundo, incluidos Pacho, Sergio y yo, naturalmente hicimos una pequeña venia. Definitivamente había algo en él que le daba ese aire de rey.

—A las embarcaciones todo el mundo —ordenó—. Regresamos al palacio.

Tutmosis nos condujo desde los acantilados hacia un río ancho que fluía lentamente. Detrás de él iba toda una corte de sirvientes. Elmocobi iba de último, susurrándole algo a dos de sus sacerdotes. Eran los mismos que habían llevado el baúl a la sala secreta de Elmocobi.

—No confío en ese tipo —dijo Pacho.

—Sí. Puedes confiar en él —dijo Sergio—. Nosotros somos los únicos que sabemos que está haciendo su propia sala secreta dentro del templo de la faraona, y puedes confiar... en que va a hacer cualquier cosa para eliminarnos.

SEIS

Todo el mundo se subió a bordo de los tres barcos que había en el muelle. Elmocobi iba con nosotros en el barco real. La nave tenía una vela cuadrada enorme y dos largos remos a cada lado. Empezamos a navegar contra la corriente, a la cabeza de la pequeña flotilla de tres barcos. Los pájaros volaban cerca. A todo lo largo del río, se veían las palmas y los papiros mecerse al vaivén del viento.

—¡Uaauu! —dijo Sergio—. El Nilo. El río perfecto.

—Sí —dijo Tutmosis—. Aunque no tan perfecto, por estos días. Todo el mundo está rezando y esperando la inundación.

—¿La inu... qué? —dijo Pacho.

—La inundación —respondió Sergio—. Es cuando el Nilo se desborda cada año. De esa manera se fertilizan y se irrigan los campos.

—Muy interesante, profesor Sergio —dijo Pacho—. ¿Podría usted decirnos

qué métodos de irrigación se usaban durante la estación seca?

—Claro —dijo Sergio—. La mayoría de agricultores usaba un sistema de canales y una larga vara con un cubo o balde y un contrapeso llamado *shaduf* para...

Pacho se quitó la gorra y golpeó a Sergio.

—Estaba tomándote el pelo. Deja eso para la clase de historia.

El capitán de nuestro barco orientó la vela y empezamos a ganar velocidad. El agua borboteaba a los lados y formaba una estela detrás.

—Esto es fantástico —dije, asomándome hacia el gran río, lleno de embarcaciones de todos los tamaños yendo y viniendo. Estábamos en una civilización que había durado tres mil años. Nuestra propia historia de quinientos años después del descubrimiento de América parecía, en comparación, un abrir y cerrar de ojos.

—Sí —dijo Pacho, asomándose por

la borda para mirar la estela que dejaba el barco—. Totalmente fantástico. Si tuviera una tabla para *surfing*, saltaría al Nilo inmediatamente.

—Es una tierra hermosa —dijo Tutmosis—. Cuando yo gobierne, haré de Egipto la mejor tierra que haya existido jamás. ¿Cómo son las tierras de donde vienen ustedes?

—Bueno, pues no se ven ríos como el Nilo —dijo Sergio—. Y tampoco hay tantas palmas. Hay muchos edificios de apartamentos y muchas autopistas.

—¿Edificios de apartamentos? ¿Autopistas? —preguntó una odiosa voz familiar—. ¿Y eso qué es?

Elmocobi apareció como un mal olor en una sala de cine a oscuras, o sea, que nadie sabe de dónde viene.

—Así vivimos nosotros los magos —dijo Sergio—. Las casas están a más de cincuenta metros del suelo. Unas carretas de metal van a una velocidad diez veces mayor que la que llevamos ahora navegando.

—¿De verdad? ¿Cómo es posible? —preguntó Tutmosis.

—Es lo que yo me pregunto, su alteza —dijo Elmocobi.

Esto le molestó a Sergio.

—Te crees fantástico, ¿no? ¿Por qué no más bien...?

—Hey, ¿qué es eso? —interrumpió Pacho.

Tutmosis miró por la baranda y vio unas siluetas que sobresalían del agua.

—Hipopótamos y cocodrilos. Por lo general se mantienen alejados de nuestros barcos. En la estación seca se vuelven más atrevidos para buscar la comida.

—Son las criaturas del caos y del dios Set —murmuró Elmocobi—. Así como Set despedazó el cuerpo de Osiris, lo mismo harán con nosotros. Miren. Ahí viene uno.

En efecto, una de las cabezas de cocodrilo se aproximaba hacia nuestra embarcación. Tutmosis se sacó un dije en forma de hipopótamo que llevaba colgado del cuello.

—Saquen sus amuletos. Eso los mantendrá alejados.

Elmocobi sacó su amuleto verde en forma de cocodrilo y nos miró con una sonrisita burlona.

—¿Los grandes magos no tienen amuletos?

—No necesitamos ningún amuleto —dijo Pacho, con aires de suficiencia.

—Sí —añadió Sergio—. Nuestra magia es más fuerte.

Luego se metió las manos en los bolsillos de sus *jeans*, sacó un gancho para papeles y lo puso en la barandilla en dirección hacia el cocodrilo.

No se muy bien qué ocurrió después. Elmocobi dijo que fue un accidente. Tutmosis, Sergio y Elmocobi estaban apuntando con los amuletos hacia el cocodrilo y, de repente, el barco se movió, Elmocobi se fue encima de Sergio, Sergio se cayó por la borda y fue a dar al Nilo.

El barco siguió navegando y Sergio se quedó chapoteando en la estela. El cocodrilo hambriento vio el movimiento del agua, cambió de dirección e hizo nuevos planes de almuerzo.

—Hagan virar el barco —grité.

Elmocobi acarició su cocodrilo verde.

—No te preocupes —dijo—. El gran mago está protegido por su poderoso amuleto.

Lo único que podíamos hacer era mirar horrorizados cómo el barco seguía alejándose y dejaba a Sergio con un simple gancho para defenderse de un cocodrilo hambriento.

SIETE

Corrimos hacia la popa del barco.

—Hombre al agua —gritaba Sergio, mientras chapoteaba para mantenerse a flote.

El cocodrilo se acercaba. Elmocobi acariciaba su amuleto y se relamía los labios.

—Tírenle una cuerda —gritó Pacho.

Corríamos como locos buscando algo para tirarle a Sergio. Pero no había ni una cuerda. Los remos estaban amarrados fuertemente. La única cosa suelta que había en la cubierta era un largo ataúd de madera. Pacho y yo tratamos de levantarlo y tirarlo por la borda. Apenas si logramos moverlo un centímetro.

La cabeza de Sergio se veía cada vez más pequeña y el cocodrilo se acercaba cada vez más a medida que nos íbamos alejando. Un barco mercante, pequeño y pesado, pasó al lado del nuestro, en dirección contraria. Yo pensé brincar y pasarme allá para llegar a donde Sergio, pero a Pacho se le ocurrió una mejor idea. Cuando el barco mercante pasó, Pacho le quitó la tapa al ataúd, se la puso en el pecho y se lanzó por la borda. Cayó al agua en posición perfecta. Dio unas cuantas brazadas y luego se paró encima de la tapa del ataúd cuando se formó una ola con el barco mercante que acababa de pasar.

—Aguanta, Sergio. Allá voy. Buenísimo el *surfing* en el Nilo —gritó Pacho.

Yo di vivas.

El cocodrilo se acercaba. Sergio nadaba de espaldas lo más rápido que podía. Pacho aprovechaba las olas para avanzar. En el agua se veían las fauces del cocodrilo que se abría paso. Sergio nadaba hacia atrás.

El capitán de nuestro barco resolvió virar. El sacudón repentino nos hizo perder el equilibrio a Tutmosis y a mí,

y nos caímos al suelo. Cuando nos volvimos a levantar, lo único que se podía ver en el agua eran dos pedazos mordisqueados de la tapa del ataúd.

Sentí frío, calor y mareo todo al tiempo.

Luego escuché una voz familiar.

—¡Hey! Aquí estamos.

Era Pacho, abrazando a Sergio que estaba todo empapado. El barco mercante los había salvado y ya estaban a salvo en la cubierta. La cabeza del cocodrilo (que parecía tener una nueva protuberancia) se veía nadando hacia la orilla para protegerse.

El capitán acercó nuestro barco y recogió a Sergio y a Pacho.

—Excelente demostración de deportes y magia —dijo Tutmosis—. Cuéntenme cómo lo hacen.

—Claro, su alteza —dijo Sergio, mirando a Elmocobi con la misma cara de maldad que ponía él—. Pero esta vez pondremos a Elmocobi de carnada para el cocodrilo.

Elmocobi murmuró algo sobre deshonrar el lugar sagrado de descanso del faraón y se excusó diciendo:

—Tengo que consultar las señales de los cielos.

Luego se fue y no volvió a aparecer en todo el viaje.

—No sabía que supieras hacer *surfing* —le dije a Pacho.

—Yo tampoco —dijo él—. Pero me imaginé que no sería muy diferente del monopatín.

—Gracias, Pacho —dijo Sergio—. El cocodrilo ni se dio cuenta con qué lo golpeaste.

—Ah, no fue nada —dijo Pacho, haciéndole una llave a Sergio—. Además, un trío de viajeros conformado sólo por dos tipos no es buena idea.

Cuando todos se secaron, disfrutamos el recorrido por el Nilo. El sol brillaba en un cielo azul profundo sin nubes. El viento tibio nos empujaba río arriba. Tutmosis nos mostraba con orgullo todas las edificaciones que sus ancestros habían construido a orillas del río.

Pacho miraba hacia el horizonte, poniéndose una mano sobre los ojos.

—Bueno, ¿y dónde están las grandes pirámides, la esfinge y todo eso?

Tutmosis se rio y señaló hacia el otro lado, río abajo.

—Quedan como a un día de viaje, hacia allá.

Sergio se fijó en el sol, que se ocultaría a la derecha, vio que íbamos navegando contra la corriente del río.

—Claro —dijo—. Estamos navegando con el viento, contra la corriente. El delta y el Mediterráneo están hacia el norte. Nos dirigimos hacia el sur, hacia la antigua capital, moderna en esta época, de Luxor.

Pacho miró a Sergio de reojo.

—Sí, claro.

Llegamos a Luxor justo cuando el sol empezaba a ocultarse. Cuando estudiamos a Egipto en clase, nos parecía que era un lugar seco y polvoriento, con unos cuantos burros y pirámides, y gente caminando en la forma como se ve en los dibujos. Pero la escena bajo la luz del atardecer era completamente diferente.

Había gente por todas partes en el muelle, gritando órdenes, tirando cuerdas y amarrando los montones de barcos que llegaban. Las calles estaban llenas de tienditas y miles de comerciantes anunciaban a gritos los bienes que tenían para la venta. La gente que abarrotaba las calles hacía que el lugar se pareciera a Nueva York en Navidad, sólo que sin la nieve.

En el muelle nos esperaba un ejército de sirvientes del rey. No sé muy bien qué era lo que esperábamos, pero después jugar basquetbol con Tutmosis y hablar de tú a tú con él, nos habíamos acostumbrado a verlo como un chico cualquiera. Sin embargo, la manera como lo trataba todo el mundo nos hizo caer en cuenta de que no era así.

Los sirvientes tendían esteras suaves para que Tutmosis caminara sobre ellas, lo protegían del sol del atardecer con un toldo enorme y lo llevaban en un trono instalado en un carro de oro y joyas.

Ahora comprendo la expresión aquella de "vivir a cuerpo de rey".

—Es como Pelé, Elvis Presley y el presidente, todo en uno —dijo Pacho.

—Es más que eso —dijo Sergio—. Porque los faraones son dioses en la tierra.

Siendo los nuevos amigos del rey, a nosotros también nos trataban muy bien. Nos llevaron en carro de primera clase hasta el palacio de Tutmosis, y allí nos pusieron en manos de varios sirvientes que nos prepararon para el banquete de la faraona.

Todo estuvo muy bien: el baño, los masajes y la ropa que nos pusieron encima de la que llevábamos, pero luego los sirvientes empezaron con el maquillaje, los perfumes y las joyas.

—Un momento, un momento...
—empezó a decir Pacho—. Un poco de
colonia no me molesta, pero no me voy
a dejar poner sombras en los ojos, ni
ese collar. No, señor.

—Con la cara que tienes, un poquito
de maquillaje no te vendría mal —dijo
Sergio—. Además, ¿no has oído el dicho aquel de "a donde fueres, haz lo
que vieres"?

—Todo el mundo va a ir así: hombres y mujeres —añadí yo.

—No me parece —dijo Pacho—. Además, ¿no han oído el dicho que dice "a donde va Vicente va toda la gente"? Pues yo no me llamo Vicente.

Finalmente convencimos a Pacho de que se dejara poner un brazalete y un poco de sombra negra en los ojos. Sergio y yo nos amarramos los zapatos de tenis. Pacho se puso su gorra de los Azulejos y seguimos al guía que nos llevó al salón del banquete.

Ya había cientos de personas allí, comiendo, bebiendo o hablando en los bancos. Los hombres y las mujeres tenían elegantes vestidos plisados, con el doble de joyas y maquillaje que teníamos nosotros. Algunas mujeres incluso tenían unos conos de cera en la cabeza. Nadie se volteó a mirarnos. Yo quería encontrar a Tutmosis y empezar a idear un plan para encontrar a Ana y *El Libro,* pero Pacho, como de costumbre, tenía otras ideas.

—¡Comida! Miren toda esa comida —dijo.

La mesa, en el centro del salón, estaba llena de carnes, pescados, panes, frutas y flores. Sergio y yo seguimos a Pacho por entre la gente hasta la mesa. Luego, tomó una pierna de un ave asada.

—Mmmm..., pato. O tal vez ganso. Pan. Mmmmm..., un poco revenido. Ahora, algo para pasar, uuu... vino.

—Pacho —le susurré, jalándole el vestido—. Cálmate. Actuemos como si fuéramos unos invitados muy importantes y no nos metamos en problemas.

Calmadamente y con cara de importantes llenamos nuestros platos de pollo, higos, uvas, pepinos y pan. Cuando nos terminamos eso regresamos por carne, más frutas, nueces y miel.

Sergio limpió lo que le quedaba de miel en el plato con un pan y se recostó en la silla, dando un suspiro de satisfacción.

—Creo que podría acostumbrarme a esta vida —dijo.

Pacho volvió a servirse una vez más carne y pan.

—Esto es lo que necesitaba. El basquetbol y el *surfing* me hicieron dar hambre —dijo, masticando los últimos pedazos de su creativa hamburguesa y se limpió la boca con la manga del vestido—. Ahora sí, a trabajar. Pensemos cómo vamos a salir de aquí.

Miré a mi alrededor; el salón estaba lleno de gente que seguía comiendo, bebiendo y hablando.

—Estamos a kilómetros de distancia del templo de Hatsepsut —dije—. No sé cómo vamos a regresar para encontrar a Ana y *El Libro*.

—No hay problema —dijo Pacho—. Somos amigos del faraón. Él puede conseguirnos lo que queramos.

—No sé —dijo Sergio, pesimista como siempre—. Tú sabes cómo terminan nuestras aventuras. Todavía no puedo creer que hayamos venido al antiguo Egipto y no estemos encerrados en una pirámide, o envueltos como momias, con nuestros órganos vitales metidos en jarrones y el cerebro por fuera, después de sacárnoslo por los huecos de la nariz.

—Sergio, muchas gracias por esos pensamientos tan agradables —le dije, al tiempo que miraba por todo el salón. Entonces vi a Elmocobi, junto a una columna. Estaba con toda su cuadrilla de sacerdotes calvos—. Tengo la sensación de que ya nos encontramos con la cosa más peligrosa del antiguo Egipto. Y creo que nos vamos a volver a encontrar con él.

Todavía estaba tratando de pensar en otro buen truco de magia para engañar a Elmocobi en caso de necesidad cuando, de repente, el estallido de una música hizo que todo el mundo guardara silencio. Una orquesta que no habíamos visto empezó a tocar una melodía ceremonial. Todo el mundo se puso de pie. Una cortina que había en el extremo del salón se corrió y entraron Tutmosis y una mujer cuya apariencia era la de alguien muy importante. Llevaba una impresionante corona en forma de cobra.

—Larga vida a Hatsepsut y Tutmosis —rugió una voz—. ¡Saluden!

Todo el mundo hizo una venia. Tutmosis y Hatsepsut se sentaron en sus puestos, en la cabecera de una larga mesa, y la orquesta empezó a tocar otra melodía. Detrás de la cortina salieron

bailando unas chicas en fila, con platillos y castañuelas. Yo quedé boquiabierto.

Una de las chicas era diferente de las demás. El vestido, el maquillaje y los instrumentos eran iguales, pero ella era mucho más blanca. La miré bien y me froté los ojos. Se parecía a Ana.

Volví a mirar. Ella me miró a mí y me saludó con la mano y una sonrisa... la misma sonrisa tonta de mi hermanita.

OCHO

—¡Ana!

La chica se acercó bailando hasta nosotros.

—Hola, Beto. ¿No te parece maravilloso todo esto?

—Pero, ¿quién..., cuándo..., cómo hiciste para llegar acá? —le pregunté.

—Ah, pues me encontré con esa señora de la corona que parece una silla, como la de la ilustración que le mostré a Sergio —dijo Ana.

—Pero esa es Isis —dijo Sergio.

Ana hizo sonar los platillitos que tenía en los dedos.

—Eso, Isis. Ella me dijo que me podía encontrar con ustedes aquí, y que necesitarían de nuestra ayuda. Entonces nos vinimos para acá en su barco.

—Pero Isis es una diosa —dijo Pacho—. No era una persona de verdad.

—No deberías decir eso de la gente, Pacho —dijo Ana—. Ella es de verdad, verdad. Si no, ¿cómo habría hecho yo para llegar aquí?

—Esto se pone cada vez más raro —dijo Sergio—. Pero antes de que las cosas se pongan peores, ¿por casualidad tienes *El Libro* en donde estaba la ilustración de la mujer con las dos coronas de faraón?

Ana apretó los labios mientras pensaba.

—Mmmm..., no. Es curioso, porque justo después de que les mostré la ilustración, todo empezó a dar vueltas y luego Cleo y yo aparecimos en la casa de Isis. No sé qué pasó con *El Libro*.

—Ay, no —gruñó Sergio.

—¿Te lo habían prestado en la biblioteca?

—Algo así —dije—. Tenemos que encontrarlo antes de regresar a casa.

—Pues preguntémosle a Isis —dijo Ana—. Estoy segura de que ella nos puede ayudar. Ella me dijo...

Antes de que pudiéramos saber qué había dicho Isis, Tutmosis se puso de pie, en la cabecera de la mesa. Todo el mundo guardó silencio de inmediato.

—Gran faraona, honorables invitados, esta noche tenemos la fortuna de contar entre nosotros con visitantes de una tierra muy, muy lejana.

Tutmosis nos hizo señas para que nos pusiéramos junto a él. Luego nos señaló a cada uno.

—Sergio, Beto y Pacho vienen de una tierra llamada Estados Unidos. Su gente vive en casas que están a más de cincuenta metros del suelo y viajan a una velocidad mayor de la de cualquier barco en el Nilo.

Los asistentes a la fiesta decían: "ohhh", "ahhh".

Hatsepsut nos miró como miran las mamás cuando conocen a los amigos de su hijo y se ponen a pensar si es alguien que le conviene o no. No sé si le parecimos bien o mal.

Tutmosis se quitó uno de los zapatos de tenis y lo levantó.

—Ellos me enseñaron a hacer piruetas maravillosas con estas sandalias.

La gente volvió a decir: "ohhh", "ahhh".

En ese preciso instante, Hatsepsut nos estaba mirando con cara de regaño. Yo sentí que tenía que hablar y decir algo que nos hiciera parecer buenos.

—También podemos usar las sandalias mágicas... hem... para ordenar nuestras habitaciones todos los días... muy rápido.

El sólo hecho de decir que uno ordena su habitación basta para impresionar a cualquier adulto, pero por la manera en que me miraron Sergio, Pacho y Hatsepsut comprendí que esto no había contribuido a mejorar nuestra imagen. Una conocida voz de comadreja se escuchó desde el fondo del salón y las cosas empezaron a ir de mal en peor.

—Las sandalias mágicas son bastante extrañas —dijo Elmocobi—, y es muy interesante que los chicos ordenen sus habitaciones en Estados Unidos. Sin embargo, los sacerdotes del templo y yo les tenemos una pregunta a los tres magos.

—¿Quieren saber más acerca de las fintas? —preguntó Pacho.

—¿Necesitan más información sobre los doblesaltos? —preguntó Sergio.

Hatsepsut levantó su mano real para que se hiciera silencio.

—¿Qué desean saber mis sacerdotes?

Elmocobi nos miró con su cara de malvado, se frotó la calva y luego soltó la bomba.

—¿Qué hacían tres magos de los Estados Unidos metidos en las salas del tesoro de la faraona?

Si alguna vez has visto la cara de tu mamá cuando descubre algo que tú no querías que descubriera, te imaginarás la cara que puso Hatsepsut. Luego se volteó hacia Tutmosis, que de repente se veía menos como un dios y más como cualquiera de nosotros.

—No me habías dicho que a tus amigos los habían encontrado en el templo.

Tutmosis sólo atinó a balbucir:

—Bueno... es que... no pensé que... hemm...

Algunos de los invitados empezaron a susurrarse cosas al oído y a sacudir la cabeza.

—Los encontramos poniéndose las joyas, su alteza —añadió Elmocobi, quien obviamente estaba disfrutando la faena.

Los susurros de la gente se hicieron más fuertes.

—Y ese que está allá —dijo Elmocobi señalando a Pacho—, pateó un ataúd real y le botó la tapa a las bestias del Nilo.

La gente hablaba cada vez más fuerte. Alguien gritó: "¡No!"

—Los signos que leímos en las estrellas nos dicen que la inundación no ha llegado por culpa de un caos interno. Dicen que el caos son esos tres.

Miré a Hatsepsut y dos pensamientos me cruzaron la mente. El primero era que las cosas cambian muy poco:

impresionante. Una persona furiosa hace 3500 años se ve igual a una persona furiosa hoy en día. El segundo pensamiento era que nos iban a cortar la cabeza.

NUEVE

—No, un momento —dijo Pacho—. Yo tuve que usar esa tapa para salvar a Sergio.

—Entonces lo admites —dijo Elmocobi—. Tiraste al Nilo la tapa del ataúd real.

—Pues sí —dijo Pacho—, pero no nos íbamos a robar los tesoros que nos estábamos poniendo.

—Así es que, en efecto, se estaban poniendo los tesoros de la faraona —dijo Elmocobi—. A mí eso me suena a robo.

La mención de esa palabra mágica puso a Sergio en acción.

—No somos ladrones.

—¿Entonces qué son?

—Bueno...

—¿Qué?

La gente miraba a Sergio y luego a Elmocobi y luego otra vez a Sergio como si fuera un partido de tenis.

—Somos magos, Elmoco.

—Son los favoritos de Set —dijo Elmocobi.

—¡Saco de papas! —dijo Sergio.

—¡Ladrones de templos!

—¡Alcachofa cocida!

—Ya basta —dijo Hatsepsut, poniéndose de pie. Hablaba con una voz calmada pero firme—. El sumo sacerdote Elmocobi dice que ustedes son los causantes del caos y la sequía. Mi sobrino, Tutmosis, dice que ustedes son magos. ¿Cómo saber quién está diciendo la verdad?

Si ya has leído alguno de los otros libros de aventuras del trío de viajeros en el tiempo sabrás que esta no es la primera vez que nos sucede algo así. Yo ya lo veía venir, y por primera vez estaba preparado.

—Su alteza, faraón... faraona... señora —le dije a Hatsepsut—, si me lo permite, le haré una pequeña demostración de nuestra magia para que reluzca la verdad. Enfrentaremos la fuerza de esta niña —dije, y puse la mano en la cabeza de Ana—, contra la de cualquier hombre que usted escoja. Si ella es más fuerte, entonces nosotros estamos diciendo la verdad. Si su hombre es más fuerte, entonces Elmocobi está diciendo la verdad.

Sergio se puso blanco como un papel.

Hatsepsut lo pensó durante un segundo y luego asintió con su cabeza coronada con la cobra.

—Me parece justo. ¿Tutmosis y Elmocobi están de acuerdo?

—Claro —dijo Tutmosis—. Beto es bueno para los pases mágicos.

Elmocobi no parecía seguro, pero cayó en mi trampa y escogió a su sacerdote más grande.

—Bueno, de acuerdo, pero deben usar a Pepi.

Pepi era un hombre de dos metros de alto y con una espalda de casi un metro de ancho. Yo mismo no habría podido escoger una víctima mejor.

—Perfecto —dije, y puse manos a la obra de inmediato, antes de que alguien cambiara de opinión. Puse a Pepi a mi lado derecho y a Ana a mi lado izquierdo. Luego les puse una mano en el hombro a cada uno.

—Abracadabra, patas de cabra, ra ra ra —dije con mi voz más mágica—. Acabo de tomar la fuerza de este hombre y pasársela a esta niña.

Puse un banquito de madera junto a una pared y le pedí a Ana que se colocara a una distancia de tres veces el tamaño de su pie.

—Mantén tus pies en el suelo. Dobla la cintura. Apoya la parte de arriba de la cabeza contra la pared. Ahora, pon tus manos debajo del banquito y levántalo cuando te endereces.

Sergio cerró los ojos y se metió las manos debajo de las axilas.

—No puedo ver eso.

Ana puso las manos debajo del banquito, se enderezó y lo levantó con un solo movimiento rápido. Luego sonrió.

Elmocobi se rio burlonamente.

—Esto es un juego de niños.

Pepi se puso a una distancia de la pared de tres veces el tamaño de su pie, apoyó la cabeza contra la pared y... nada. No se podía mover.

—Levanta el banco —dijo Elmocobi—. Vamos.

—Estoy tratando, su excelencia, pero no puedo. Algo me retiene.

Pepi volvió a intentar de nuevo. Nada.

—A un lado, insecto —dijo Elmocobi, y golpeó a Pepi con el látigo—. Una niñita puede levantar ese banco. No me digas que tú no puedes hacerlo.

Elmocobi se puso frente al banco, apoyó su calva en la pared, agarró el banco y... nada.

—Uuggghh

Nada.

—Aahhgg.

Nada.

—Eeeeee.

Elmocobi seguía pegado a la pared

y el banco seguía pegado al piso. Hatsepsut miraba maravillada.

—¿Esta pequeña bailarina levanta un banquito que no puede levantar el hombre más fuerte? Sumo sacerdote, esto es magia. Los dioses han respondido nuestra pregunta.

Elmocobi se levantó. Tenía la cabeza peligrosamente roja por el esfuerzo y la vergüenza.

—Sí, su alteza —dijo. Hizo una venia rápida ante Hatsepsut y salió inmediatamente del salón. Una fila de sacerdotes calvos con cara de susto lo siguieron.

—Bravo —dijo Sergio—. El rey de los pases mágicos.

La orquesta empezó a tocar. Los invitados se arremolinaron en torno a nosotros y empezaron a hacernos montones de preguntas. Sergio estaba feliz contándoles sobre los automóviles, los jets, la televisión, los teléfonos y los vídeos musicales. Pacho les mostró a todos su gorra de los Azulejos de

Toronto e hizo demostraciones de los movimientos del monopatín usando una bandeja de madera. Yo le di un abrazo rápido a Ana.

—Bien, hermanita. Estuviste fabulosa.

—Gracias —dijo Ana—. Pero no hice nada.

—Yo sé —le respondí—. El truco funciona gracias a tu centro de gravedad. Las niñas pueden hacerlo, pero los hombres no. En todo caso, estuviste fabulosa.

Por el rabillo del ojo vi que Hatsepsut nos miraba. Era toda sonrisas.

Habíamos encontrado a Ana. Ambos faraones estaban de nuestro lado. Éramos el alma de una fiesta en el antiguo Egipto. Por primera vez en mi vida de viajero en el tiempo, decidí relajarme y gozar. Más tarde nos preocuparíamos por encontrar *El Libro*. ¿Qué podía pasar de malo?

—Voy por Cleo. Ya vengo —dijo Ana,

y salió por la misma puerta por donde habían entrado las bailarinas.

Nos reímos con los invitados y les hablamos sobre Nueva York.

Diez minutos más tarde, Ana no había vuelto.

Algunos de los invitados empezaron a irse.

Veinte minutos más tarde, Ana seguía sin regresar.

Miré por la entrada y a los lados, por los pasillos.

Habían pasado ya treinta minutos y Ana no volvía.

Tuve el mal presentimiento de que lo malo que habría podido pasarnos, acababa de pasar.

DIEZ

Cuando Hatsepsut supo que yo era hermano de Ana y que ella estaba perdida, puso a toda su gente en acción. Se les asignó a los sirvientes, a las bailarinas, a los músicos y a los invitados una parte del palacio para buscar.

Buscamos en los jardines, en las piscinas, en los establos, en los jardines y en las cocinas. Buscamos en las habitaciones, en los baños, en los cuartos de los sirvientes, en los corredores, en los jarrones de las despensas, en los corrales de los animales, en el pozo del agua y hasta en los hornos. No había rastro de Ana.

Pacho, Sergio y yo nos sentamos a la mesa, ahora vacía, del banquete con Hatsepsut y Tutmosis.

—Buscamos por todas partes —dijo Tutmosis—. Usen su magia para hallarla.

—Ojalá pudiera —dije.

Hatsepsut se quitó la corona y se masajeó las sienes.

—Sólo hay un lugar del palacio donde no hemos buscado. Es posible que Ana se haya perdido en las salas de la Casa Suntuosa.

—¿La Casa Suntuosa? —dije—. ¿Qué es eso?

—Son las salas secretas que están debajo del palacio —dijo Hatsepsut—. Allí es donde los sacerdotes preparan los cuerpos para la vida del más allá.

—Ay, no —dijo Sergio—. Las momias.

—¿O sea, el lugar donde sacan los

órganos y llenan a los cuerpos con sal por la boca? —preguntó Pacho.

Hatsepsut miró a Pacho, sorprendida.

—¿Los magos estadounidenses conocen nuestros rituales?

—Bueno, pues yo hice un trabajo para el colegio y aprendí bastante sobre eso.

Me quedé pensando en lo que dijo Hatsepsut y, de repente, se me aclararon las ideas.

—¿Los sacerdotes son los que usan esas salas?

Hatsepsut asintió con la cabeza.

—Me huele a rata —dijo Pacho.

—A mí me huele a un tipo calvo con un látigo —dije yo—. ¿Puede mostrarnos la Casa Suntuosa?

—Sólo los sacerdotes y los miembros de la familia real pueden visitar esas salas.

Sergio puso cara de alivio. Yo me sentí horrible, pensando que a lo mejor Elmocobi había tomado a Ana de rehén.

—...pero ustedes deben ser sacerdotes, desde que saben tanto sobre nuestros rituales —dijo Hatsepsut—. Vamos.

La faraona Hatsepsut les agradeció a todos los invitados y sirvientes por ayudarnos a buscar a Ana. Luego despidió a todo el mundo, nos equipó con antorchas y nos condujo por los pasajes oscuros de debajo del palacio. Nos detuvimos en una bifurcación en el largo túnel abovedado. Hatsepsut nos dio órdenes.

—En las salas de la izquierda prepararon a mi difunto esposo, Tutmosis II, para su próxima venida. Las conozco bien y buscaré ahí. Las salas de la derecha no se han usado en años. Ustedes cuatro permanezcan juntos y busquen ahí.

Sergio levantó la mano.

—Esteee..., ¿no cree que deberíamos permanecer todos juntos? Es que eso siempre pasa en las películas de terror. El grupo se separa y luego empiezan a fritar a uno por uno.

Hatsepsut miró sorprendida a Sergio.

—¿Películas de terror? ¿Fritar? Más bien dediquémonos a buscar a Ana y nos volvemos a encontrar aquí.

La faraona desapareció en la oscuridad del túnel y nos dejó a Tutmosis, a Sergio, a Pacho y a mí. Empezamos a mirar nerviosamente para todos lados.

—Esa tal maldición de la momia es una cosa que se inventaron en las películas —dijo Pacho, sin hablarle a nadie en particular—. Las momias de verdad no andan por ahí estrangulando gente.

—Correcto —dije con firmeza.

—Algunos espíritus alados, el *ba* de los que están aquí, a lo mejor no estén felices... —susurró Tutmosis, y levantó la antorcha para ver en las sombras.

—Correcto —dije, con menos firmeza.

Sergio gruñó.

—Les dije que esto iba a pasar.

—Ay, bueno, ya —dijo Pacho, bajándose un poco la gorra—. Me están empezando a sonar las tripas del miedo, muchachos. Hatsepsut nos dijo que buscáramos en este lado, así es que comencemos.

Pacho comenzó a avanzar por el corredor y no tuvimos más remedio que seguirlo.

Empezamos a caminar todos muy juntos. Luego, cuando nuestros ojos empezaron a adaptarse a la luz vacilante de las antorchas, comenzamos a fijarnos en las figuras y los jeroglíficos de las paredes.

—Miren —dijo Pacho—. Un tipo con cabeza de perro.

—Anubis —dijo Tutmosis—. El dios de la momificación.

—Sí, claro —dijo Pacho—. Aquí abajo es un lugar apropiado para él.

Sergio levantó su antorcha hacia el cielo e iluminó una figura que se arqueaba desde el piso de una pared, en donde tenía los pies, hasta el piso de la otra pared en donde tenía los dedos de las manos.

—Nut —dijo Sergio—. La diosa de los cielos.

Caminamos debajo de la diosa arqueada y empezamos a buscar en cada rincón y en cada grieta alguna señal de vida de Ana. Buscamos en unas veinte habitaciones diferentes. Pero Hatsepsut tenía razón. No las habían usado en años. No había nada en ellas.

—Ya se nos van a acabar las antorchas —dijo Pacho—. Creo que mejor nos volvemos a encontrar con Hatsepsut.

Yo no quería que nos fuéramos, pero ya habíamos buscado por todas partes. Nos devolvimos, revisando cualquier lugar que se nos hubiera pasado por alto.

Encontramos todo un desfile de dioses en la pared que no habíamos visto, y tratamos de recordar quiénes eran.

Tutmosis nos dio las respuestas.

—El hombre con la cara de pájaro y las dos coronas de Egipto es Horus, dios de los reyes —dijo Tutmosis, muy orgulloso.

—¿Y la mujer con cabeza de vaca? —pregunté.

—Hator, diosa del amor y la belleza —dijo Tutmosis.

—¿Y quién es este personaje con cara de malo? —dijo Pacho, señalando con la mano un tipo que parecía un oso hormiguero con las orejas cuadradas.

—Es Set —respondió Tutmosis—. Dios del caos. Hermano y asesino de... Osiris.

Dijo esto tras una pausa y señalando una figura con un báculo y un látigo cruzados en el pecho.

El nombre de Osiris me hizo acordar de su hermana, Isis, que encontró su cuerpo despedazado, lo volvió a componer y le dio nuevamente la vida.

—¿Dónde está Isis? Si alguien nos puede ayudar es ella.

—Aquí —dijo Tutmosis—. Junto a Osiris.

La antorcha de Sergio chisporroteó y se apagó.

—El guía del *tour* dice que ya se acerca la hora de cerrar. Es hora de salir, mientras todavía haya luz —dijo.

No sé muy bien por qué lo hice, pero cuando me volteé para ver a Isis por última vez, froté el amuleto de la vida que tenía en la mano y dije: "Isis". El pedacito de piedra en altorrelieve estaba tibio. Extendí la mano y la apoyé sobre la piedra. Todo el muro estaba tibio.

Me apoyé en él y llamé a Pacho, Sergio y Tutmosis, que ya iban alejándose por el túnel. Sin embargo, sólo alcancé a decir:

—Oigan, muchachos. Toquen este muro. Está...

Cuando me apoyé en el muro, éste comenzó a girar como una puerta de piedra gigante. Detrás de él había una habitación secreta.

Una hoguera encendida en la chimenea de la esquina iluminó todo. Vi una pila de tiras de tela, un montón de jarrones y una mesa llena de cuchillos y garfios. En un sarcófago sin adornos había una momia pequeña, a medio envolver. Me quedé petrificado. La momia gruñó y luego se sentó.

ONCE

Habría salido corriendo inmediatamente de allí si no fuera porque sentí que los pies se me quedaron pegados al suelo. Menos mal, porque la momia gruñó de nuevo y dijo:

—Hola, Beto. ¿Cuánto tiempo llevo dormida?

—¡Ana! —dije sorprendido. Me acerqué a la pequeña momia que había en el sarcófago. Era Ana—. ¿Qué pasó? ¿Estás bien? Te hemos buscado por todas partes.

Pacho, Sergio y Tutmosis llegaron precipitadamente a la sala secreta. Ana bostezó de nuevo y se estiró. Una cuantas tiras de tela cayeron al suelo.

—Uaauu —dijo Pacho—. ¿Te convertiste en momia?

—Sí —dijo Sergio—. Le sacaron el cerebro con un garfio que le metieron por la nariz y ahora funciona con pilas.

—Seguro me equivoqué de camino cuando regresaba a la fiesta con Cleo —dijo Ana—. Seguí unas luces hasta esta habitación, pero luego la puerta se

cerró y no pude salir. Como estaba cansada decidí acostarme en esta camita con Cleo y usé una de estas sábanas. Pero ahora estoy toda envuelta con estas tiras.

Cleo sacó la cabeza de debajo de la sábana que tenía Ana en las piernas. Dio un gran bostezo y se desperezó arqueando el lomo y estirando las patas delanteras. Tutmosis le acarició la cabeza y le rascó debajo de la quijada.

—Te encontramos gracias a Isis —dijo Tutmosis—. Hatsepsut está preocupada.

Mi antorcha chisporroteó levemente y luego se apagó.

—Oh, oh —dijo Pacho—. Se nos está acabando el tiempo —apagó su antorcha contra el suelo y se la pasó a Tutmosis.

—Toma —le dijo—. Llévate las dos últimas antorchas y vete a buscar a Hatsepsut. Cuando la tuya se empiece a apagar, enciendes la mía. Vamos a desatar a Ana y te esperamos aquí.

—Con tus sandalias mágicas regresaré en menos de lo que canta un gallo.

Pacho arrastró un bloque de piedra hasta la puerta secreta para evitar que se cerrara. Tutmosis se fue corriendo por el pasillo y nos dejó en el pálido círculo de luz que proyectaba la chimenea.

Comencé a desamarrar a Ana y me di cuenta de algo extraño.

—¿No habías dicho que tú misma te pusiste estas sábanas? —le pregunté.

—Tenía frío.

—Pero es que están amarradas con nudos.

—Oigan —dijo Sergio, acomodándose los anteojos para estudiar un montón de rollos de papiro que había junto a la chimenea.

—Son textos del Libro de los muertos. Aquí hay una escena completa del proceso de pesaje del corazón: Anubis cuadrando la balanza con el corazón y la pluma de la verdad; el Devorador esperando para comerse cualquier corazón malo. Es igual a mi proyecto del colegio.

—Corrección, señor Genio Humilde —dijo Pacho—. Tu proyecto es igual a esto. Creo que ya se te habían adelantado unos buenos cuatro mil años.

—Ay, bueno. Tú sabes lo que quiero decir —dijo Sergio.

—¿Por qué no dejan de discutir un momento, muchachos, y se acercan a ver esto? —dije—. Miren estos nudos.

—¿Qué tienen? Son nudos —dijo Pacho.

—Sí, pero Ana no pudo habérselos amarrado ella misma —dije—. Eso significa que aquí estuvo otra persona y que esa persona amarró a Ana.

Sergio examinó los nudos y frunció el ceño.

—Otra persona como, por ejemplo, nuestro viejo amigo Elmocobi. Todavía quiere deshacerse de nosotros porque sabemos lo de su sala secreta.

La palabras de Sergio me hicieron

sentir escalofrío, pero también sentí una brisa fría que venía de la puerta y me volteé, sólo para ver un espectáculo más escalofriante aún. Elmocobi y cuatro sacerdotes grandullones estaban en la entrada.

—Muy bien dicho, joven mago —dijo Elmocobi—. Y me alegra mucho que me llames "viejo amigo".

Nos quedamos paralizados como estatuas. Aun en la luz tenue de la chimenea se alcanzaba a ver la sonrisa maléfica de Elmocobi, que se volteó hacia uno de sus tontos.

—Envuélvanlos.

Dimos una buena batalla. Pacho lanzó excelentes patadas de karate. Sergio dio enfurecidos puntapiés. Ana golpeó a un tipo en la cabeza. Yo casi logro escaparme, pero uno de los cuatro monstruos me agarró por detrás y me sacó el aire.

En cuestión de cinco minutos ya estábamos como Sergio temía que llegaríamos a estar: envueltos como momias, a punto de ser enterrados vivos.

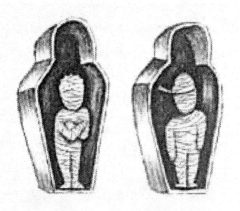

Los sacerdotes musculosos nos metieron en cuatro sarcófagos apoyados contra la pared y luego salieron de la habitación. Elmocobi apoyó uno de sus pies contra el bloque que mantenía la puerta abierta.

—Me encantaría quedarme y torturarlos por humillarme delante de la faraona, pero simplemente voy a correr por el túnel a contarles a Tutmosis y a Hatsepsut la terrible noticia.

—¿Cuál terrible noticia? —dijo Sergio—. ¿Que en realidad te llamas Cera-de-oreja?

—No —dijo Elmocobi, con una sonrisita macabra—. La terrible noticia de que ustedes corrieron accidentalmen-

111

te el bloque de piedra que sellará para siempre este lado del túnel.

—No se van a creer esa historia tan estúpida —dijo Pacho.

—Pues no tienen ninguna otra historia que creer —dijo Elmocobi—. Porque nadie los va a encontrar detrás de esta montaña de piedra.

Al decir esto, Elmocobi señaló hacia arriba.

—Cuando te pesen el corazón —dijo Sergio—, estará tan lleno de maldad que al Devorador le alcanzará para el desayuno, el almuerzo, la cena y el tentempié de la noche.

Elmocobi se detuvo un instante, como si fuera a decir algo, y luego pateó el bloque, con lo cual la puerta se cerró e hizo un profundo "bum". Escuchamos el sonido de piedras contra piedras. En el techo parecía que estuvieran pasando tres mil trenes al tiempo. Todo se sacudió. Luego, silencio.

Por debajo de la puerta se veía flotar el polvo. El fuego de la chimenea se empezaba a desvanecer.

—Creo que gritar no servirá de mucho —dijo Pacho desde su sarcófago.

—No —dijo Sergio—. Sólo serviría para gastar más rápido el oxígeno que tenemos.

El ojo pintado en su sarcófago me miraba.

Debíamos quitarnos las vendas y usar los palos de la chimenea para cavar y salir de ahí. Lo malo es que ni siquiera podía mover los dedos.

—Sé que nos metimos en la grande —dije, tratando de sonar positivo—, pero ya se nos ocurrirá algo.

—Uuff, ¿como qué? —dijo Pacho, luchando para liberarse de las vendas—. ¿Respirar por turnos?

Sergio gruñó.

—Creo que si no entrego la tarea de historia a tiempo voy a pasar un mal rato. Beto, ¿no te sabes algún truco de escape al estilo Houdini?

—Necesitamos algo más que un truco de escape al estilo Houdini —dije—. Ojalá hubiera aprendido a evitar que desaparezca *El Libro*.

Ana se movió en su sarcófago y preguntó:

—¿*El Libro* nos puede ayudar a salir de aquí?

Traté de pestañear debajo de aquella capa de tela que me cubría los ojos.

—Ayudarnos no. *El Libro* nos llevaría de vuelta a mi habitación en un segundo.

—Bueno, pues Isis me dijo que si alguna vez llegábamos a tener problemas y necesitábamos su ayuda, que nada más le dijéramos —dijo Ana.

—Tu hermana está delirando —dijo Sergio—. Le falta el oxígeno. Está hablando de nuevo de su amiga imaginaria.

—¿Estamos completamente amarrados, atrapados detrás de millones de toneladas de piedra y lo único que tenemos que hacer es pedirle ayuda a una diosa que ni siquiera está aquí? —dijo Pacho.

—Sí —dijo Ana.

—¡Qué va! —dijeron al tiempo Sergio y Pacho.

—¿Quieren apostar? —preguntó Ana.

—Claro —dijo Sergio—. ¿Qué podemos perder? ¿Nuestros ataúdes? Te apuesto un millón de dólares.

—Dos millones —dijo Pacho.

—No —dijo Ana—. Tiene que ser algo que puedan pagar. Como una semana de mesada y limpiar la caja de arena de Cleo.

—Listo. Apuesto —dijo Sergio.

—Apuesto —dijo Pacho.

—Bueno, deberíamos apostar con los dedos meñiques, pero tengo que confiar en ustedes.

El fuego se apagó otro poco más. La sensación de estar atrapados debajo de una montaña de piedra empezó a pesarme.

—Isis —dijo Ana—, por favor, ayúdanos a encontrar *El Libro*.

Las llamas de la chimenea parpadearon. Se escuchó el sonido de piedrecitas cayendo. Luego, silencio.

—¿Eso fue todo? —dijo Sergio.

—Hem, Isis —dije—, ¿no podrías trabajar en el asunto de *El Libro* lo más pronto posible? Me parece que se nos está acabando el tiempo.

Silencio mortal.

Escuchamos como si alguien estuviera arañando y de repente apareció Cleo en la mesa. Se sentó, miró a Ana, me miró a mí y luego saltó hacia los rollos de papiro que Sergio había ojeado. Yo alcanzaba a verla escasamente por el rabillo del ojo. Estaba escarbando encima de la pila de rollos.

No estoy muy seguro, porque había muy poca luz y el ángulo de visión era muy malo, pero algo cayó al suelo y se abrió, o Cleo lo sacó y lo abrió. De cualquier forma, la cosa que se cayó era un hermoso libro azul con diseños plateados serpenteantes. El humo verde que empezó a salir cuando se abrió el libro fue nuestro boleto de regreso a casa, a través de 3500 años de historia.

DOCE

Sergio estaba en mi cama, admirando las sandalias de cuero de buey de Pacho. Los demás objetos egipcios: los vestidos, las joyas y el maquillaje, habían desaparecido.

—Súper —dijo—. Creo que esta puede ser una nueva línea de calzado deportivo: Air Tutmosis III.

Pacho volteó su proyecto de historia "La momificación" hacia la pared.

—Lo de las sandalias está bien, pero no me vuelvan a mencionar la palabra "momia". Se me ponen los pelos de punta no más de pensar en esos envoltorios.

—¿Qué habrá pasado cuando Tutmosis regresó con Hatsepsut? —dije, e hice una nueva columna con cubos de azúcar que convirtieron a la tumba del rey Tut en el templo de Hatsepsut—. ¿Se habrán creído la historia de El-mocobi?

—No sé —dijo Sergio, enroscando su papiro del Libro de los muertos. Yo creo que se dieron cuenta de que él hizo algo malo. Pero podría apostar a que se salió con la suya con la construcción de su sala secreta.

Hojeé mi libro *Civilizaciones del antiguo Egipto.*

—Aquí dice que Tutmosis III fue uno de los faraones más emprendedores del antiguo Egipto. Lo llaman "el Napoleón egipcio". Y miren esto: después de la muerte de Hatsepsut, destruyeron sus estatuas y mutilaron la mayoría de monumentos con su nombre. Algunos culpan a Tutmosis, pero nadie sabe con seguridad quién fue.

—Les doy tres oportunidades de adivinar quién fue el cochino sacerdote calvo que lo hizo —dijo Sergio—. Y las dos primeras no valen.

Alguien tocó a la puerta. Sergio escondió las sandalias debajo de mi cama. Todos tratamos de poner cara de inocentes.

—Entre —dije.

La puerta se abrió. Era Ana, con Cleo alzada. Estiró una mano.

—Sus mesadas, por favor. Beto, a ti te toca limpiar la caja de arena de Cleo esta semana. Sergio la limpia la semana entrante y Pacho una semana después.

Pacho y yo nos metimos la mano en el bolsillo y sacamos el dinero. Sergio permaneció con los brazos cruzados.

—¿Sabes qué? No creo que realmente hayamos perdido la apuesta, porque la que nos ayudó fue Cleo y no Isis. Piénsalo: ella era una figura mitológica.

¿Qué prueba hay de que no fue una simple casualidad? A lo mejor Cleo sencillamente estaba buscando su caja de arena y tumbó el papiro en donde estaba escondido *El Libro*.

Ana sentó a su Barbie en mi templo de cubos de azúcar.

—Podríamos pedirle a Isis que te envolviera otra vez y te encerrara en esa sala, para que te des cuenta.

Sergio miró a Ana. Cleo se le sentó en los brazos a mi hermana y luego miró a Sergio con los ojos bien abiertos y las orejas paradas. Él se metió rápidamente la mano al bolsillo.

—Claro que es prácticamente imposible recrear las circunstancias exactas para tener

una prueba válida científicamente... y te daré la plata.

Ana sonrió, se metió los billetes al bolsillo y se fue.

Pacho y yo nos miramos y nos encogimos de hombros.

No sé cómo son las demás Barbies, pero la que estaba sentada en mi templo de Hatsepsut hecho con cubos de azúcar definitivamente estaba sonriendo.

EXAMEN FINAL

Junto a la letra de cada oración que encuentras abajo, coloca el número de las palabras de arriba que mejor la describa.

1. Inundación
2. Rey Tut
3. *shaduf*
4. Tutmosis III
5. Hatsepsut
6. Isis
7. Sandalias mágicas

A. Rey niño. Beto pensó que iba a aparecer en este libro, pero no.

B. Diosa. Esposa y hermana de Osiris. Salvadora del trío de viajeros en el tiempo.

C. Los zapatos de tenis de Pacho.

D. Cuando el Nilo se desborda.

E. Vara larga con un cubo o balde y un contrapeso, usada para sacar agua del Nilo.

F. Rey niño que sabe hacer doble-saltos, fintas y pivotes. También conocido como "el Napoleón egipcio".

G. Te apuesto la mesada y una semana de limpiar la caja de arena de la gata a que era una faraona.